Au pays des farfadets

À Lillian Grogan Osborne Reynolds

Un merci tout particulier à Dan Ringuette

Titre original : *Leprechaun in Late Winter*

Coordination éditoriale : Céline Potard.
Réalisation de la maquette : Karine Benoit.
Illustration de couverture et illustrations intérieures : Philippe Masson.
Colorisation de la couverture, illustrations de l'arbre, de la cabane
et de l'échelle : Paul Siraudeau.

Loi n° 49-956 du 16 juillet 1949
sur les publications destinées à la jeunesse.
Dépôt légal : Avril 2011 – ISBN 13 : 978-2-7470-3456-2
Imprimé en Allemagne par CPI – Clausen & Bosse

Au pays des farfadets

Mary Pope Osborne

Traduit et adapté de l'américain
par Marie-Hélène Delval

Illustré par Philippe Masson

bayard jeunesse

Léa

Prénom : Léa

Âge : neuf ans

Domicile : près du bois de Belleville

Caractère : espiègle et curieuse

Signes particuliers : ne manque jamais une occasion d'entraîner son frère Tom dans des aventures mouvementées, sans se soucier du danger.

Tom

Prénom : Tom

Âge : onze ans

Domicile : près du bois de Belleville

Caractère : studieux et sérieux

Signes particuliers : aime beaucoup les livres, qui l'aident à se sortir de situations périlleuses.

★

Les trente-sept premiers voyages de Tom et Léa

Tom et Léa ont découvert dans le bois de Belleville, perchée en haut d'un chêne, une cabane pleine de livres. C'est une

cabane magique !

Elle appartient à la fée Morgane, une magicienne et une célèbre bibliothécaire qui voyage à travers le temps et l'espace pour rassembler des livres.

Nos deux jeunes héros ont déjà vécu des **aventures extraordinaires** ! Il leur suffit d'ouvrir un livre, de poser le doigt sur une image en souhaitant se trouver à l'endroit représenté, et ils y sont aussitôt transportés !

Dans le dernier tome,

souviens-toi :

Après sa guérison, Merlin a décidé de faire le bonheur de millions de gens. Il a confié une nouvelle mission à Tom et Léa. Ils sont allés à la Nouvelle-Orléans en 1915. Ils ont rencontré le Roi du Jazz, Louis Armstrong. Avec leur trompette magique, ils l'ont convaincu de faire aimer sa musique au monde entier.

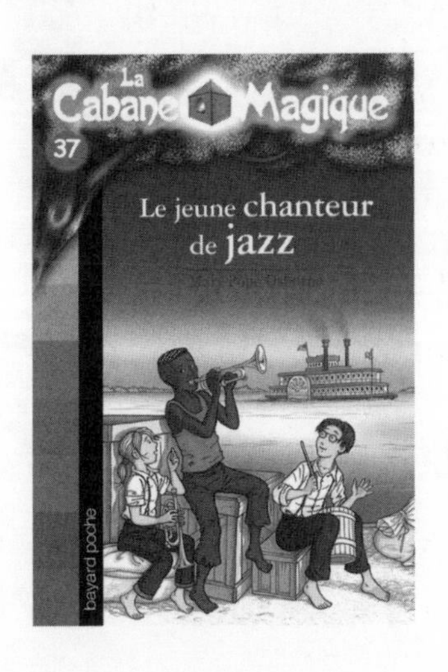

★

Nouvelle mission

Tom et Léa
partent en
Irlande

pour trouver
une artiste
de grand talent

★

Sauront-ils éviter tous les dangers ?

Lis vite
ce nouveau « Cabane Magique »
et aide nos deux héros à déchiffrer
les consignes que leur a laissées Merlin !

*Prêt à suivre Tom et Léa
dans leurs dangereuses aventures ?*

*Bon
voyage !*

1

Un beau verbe

Par un après-midi d'hiver, Tom, affalé sur le canapé, fixe une page blanche de son carnet. Il pousse un gros soupir.

– Qu'est-ce qui ne va pas ? demande Léa, assise devant l'ordinateur.

– *Je dois* écrire une histoire pour l'école, et je n'ai pas d'idée.

– Alors, dépêche-toi d'en trouver une ! Papa nous emmènera au cinéma quand on aura fini nos devoirs.

– Mais je ne sais pas quoi inventer.

La petite fille suggère :

– Sers-toi de ce que tu sais faire : observer ! Va dehors et note ce que tu vois.

– Hé, ce n'est pas bête !

Le garçon saute du canapé, file décrocher son blouson et sort.

Le vent est froid. Tom promène son regard autour de lui. Il écrit dans son carnet :

Plaques de neige sur la pelouse.
Étincellent au soleil.

Levant la tête, il observe pendant un moment les arbres qui se balancent. Il s'apprête à ajouter quelques mots. Alors, de surprise, il manque de lâcher son crayon : sur la page, deux lettres majuscules viennent d'apparaître :

T K.

– Waouh !

En quelques enjambées, Tom est devant la porte. En trois bonds, il rejoint Léa :

– Tu as vu ça ?

La petite fille déchiffre :

– « Plaques de neige... Étincellent... » C'est joli.

– Non ! Les lettres !

Léa dévisage son frère, interloquée :

– Quelles lettres ?

Tom baisse alors les yeux sur la page. Les majuscules n'y sont plus !

– Je n'ai pourtant pas rêvé... Il y avait un T et un K...

– Comme... Teddy et Kathleen ?

– Exactement ! Elles se sont écrites et effacées toutes seules. C'est vrai, je t'assure !

Léa a déjà éteint l'ordinateur :

– D'accord, on y va ! La cabane est de retour.

– Une minute, je monte chercher mon sac à dos dans ma chambre.

– On n'a pas le temps ! Teddy et Kathleen nous attendent.

Tom fourre son carnet et son crayon dans sa poche, sa sœur enfile son blouson.

– Papa ! crie-t-elle. On va prendre l'air un moment.

– D'accord. Mais ne rentrez pas trop tard, si vous voulez aller au cinéma.

Les enfants traversent la pelouse en pataugeant dans la neige fondue.

Le trottoir mouillé luit au soleil.

Les voilà sur le sentier qui s'enfonce dans le bois. Bientôt, ils s'arrêtent au pied du grand chêne. Au sommet, la cabane magique est posée entre les branches nues.

Teddy et Kathleen, les jeunes magiciens de Camelot, sont penchés à la fenêtre. Ils interpellent les deux enfants en leur faisant de grands signes :

– Bonjour !

– Bonjour ! s'écrie Léa en agitant joyeusement la main.

– Bravo pour les lettres magiques ! les félicite Tom.

Teddy rit :

– Hi, hi, hi ! Je viens tout juste d'apprendre ce petit sortilège. J'étais certain qu'il vous plairait.

Léa empoigne l'échelle de corde. Elle commence à grimper ; son frère la suit.

Dans la cabane, heureux de se retrouver, les quatre amis s'embrassent.

– Alors, où partons-nous, aujourd'hui ? s'enquiert Tom.

– Merlin veut que vous alliez en Irlande, près d'une ville appelée Galway, dit Kathleen.

– On retourne en Irlande ? s'écrie Léa. Super !

– Morgane nous y a déjà envoyés, raconte Tom. Au IXe siècle[1].

– Cette fois, précise Teddy, vous y serez au XIXe siècle. En 1862. Vous devrez rencontrer une jeune fille prénommée Augusta.

– Elle est douée d'une belle imagination, poursuit Kathleen. Mais elle vit à une époque où il n'est pas facile, pour une femme, d'exercer sa créativité. Votre mission consiste à l'inspirer, afin qu'elle fasse profiter le monde entier de son talent.

1. Lire *L'attaque des Vikings,* La cabane magique, n° 10.

– Qu'est-ce que ça veut dire « inspirer » ? demande Léa.

– C'est un très beau verbe, déclare la Selkie, les yeux pétillants. Il signifie : donner du souffle à une personne afin qu'elle ait de la joie à créer.

– Un peu de magie vous aidera à réussir, ajoute son compagnon.

Il ramasse la trompette, que Léa avait posée dans un coin à leur retour de La Nouvelle-Orléans[1]. Il la tend à Kathleen.

La Selkie lance l'instrument en l'air. Un éclair bleu illumine la cabane. La trompette tourbillonne et disparaît. À sa place, Kathleen attrape un mince tube en argent muni de six trous :

1. Lire *Le jeune chanteur de jazz*, La cabane magique, n° 37.

– Voici une flûte irlandaise. En cas de danger, l'un de vous en jouera, et ce que l'autre chantera se réalisera.

– Faites attention, leur rappelle Teddy, la magie ne fonctionne qu'une fois !

– Oui, oui, on s'en souvient parfaitement, lui assure Léa.

Tom prend la flûte et la glisse dans sa poche :

– Morgane ne vous a pas donné un album pour nous guider ?

– Elle pense que vous n'en avez plus besoin. Vous avez assez d'expérience.

– On se débrouillera, affirme Léa.

Tom n'en est pas si sûr. Il aime s'appuyer sur un bon ouvrage documentaire, lui.

Teddy enchaîne :

– Vous trouverez facilement Augusta. Lorsque vous arriverez dans le comté de Galway, demandez la Grande Maison.

Tom sort son carnet de sa poche pour noter :

Comté de Galway, Irlande.
Augusta.
Grande Maison.

– Mais comment irons-nous en Irlande, sans livre ? objecte-t-il.

– Pose le doigt sur les mots que tu viens d'écrire, indique Kathleen, et formule ton souhait.

– Et, pour rentrer chez vous, servez-vous de l'album sur le bois de Belleville, comme d'habitude, ajoute Teddy.

– Partez, maintenant, les presse la Selkie. Augusta a besoin de vous !

Tom pointe l'index sur la page de son carnet et déclare :

– Nous souhaitons être transportés ici !

– Au revoir ! dit Léa.

– Bonne chance ! lancent les jeunes magiciens.

Déjà, le vent s'est mis à souffler, la cabane à tourner.

Elle tourne plus vite, de plus en plus vite.

Puis tout s'arrête, tout se tait.

2

La grande maison

Un vent froid envoie des gouttes de pluie jusque dans la cabane. Tom frissonne. Il porte un vieux manteau et des pantalons déchirés. Léa, un fichu noué sous le menton, est vêtue d'une longue robe de laine brune. Un châle usé lui couvre les épaules. Les deux enfants sont chaussés de bottines au cuir éraflé.

– Bon, où sommes-nous ? fait Tom.

Ils vont regarder par la fenêtre : la cabane s'est posée au sommet d'un arbre, dans une prairie où paissent des moutons blancs.

Entre deux murets de pierres, un sentier suit la pente de la colline. Ils aperçoivent au loin des montagnes à demi voilées par la brume et les vagues argentées de la mer.

– On dirait un paysage de conte de fées, s'émerveille la petite fille.

– Un conte de fées par mauvais temps, grommelle son frère.

– Où peut bien être la Grande Maison…

– Je n'en sais rien, mais j'espère qu'on pourra s'y mettre à l'abri.

– Moi aussi, renchérit Léa, qui grelotte.

Tom enfonce ses mains glacées dans ses poches. Dans l'une, il tâte son carnet et son crayon. Dans l'autre, un objet métallique :

– Ah ! J'ai la flûte irlandaise. On y va ?

Léa retrousse sa jupe et s'engage sur l'échelle de corde. Tom descend à sa suite.

Une fois en bas, il remonte le col de son manteau. Sa sœur serre frileusement son châle autour d'elle. Une bruine drue leur mouille le visage. Ils marchent dans l'herbe humide, et l'eau pénètre par les trous de leurs souliers. Ils escaladent le muret de pierres. Les voilà sur un chemin creusé d'ornières.

Une carriole tirée par un cheval de trait descend en cahotant. Elle transporte des cochons qui couinent tristement.

Léa interpelle le conducteur :

– S'il vous plaît, monsieur ! Pouvez-vous nous indiquer la Grande Maison ?

L'homme tourne vers eux une face maigre et burinée. Sans un mot, il désigne du doigt le haut de la colline.

Puis la lourde charrette s'éloigne, éclaboussant les enfants de boue.

– Berk ! fait Léa.

– Maintenant, grogne son frère, on est mouillés *et* sales !

– Oui, on va avoir une drôle d'allure, pour se présenter à la Grande Maison !

– Qu'est-ce qu'on fera en arrivant ?

– Dès qu'on aura trouvé Augusta, on n'aura qu'à lui dire que Teddy et Kathleen nous envoient. Ça a bien marché avec Louis Armstrong, à La Nouvelle-Orléans[1].

Au souvenir de leur dernière aventure, le garçon soupire :

– Je ne suis pas sûr que ce soit une bonne idée. Là-bas, les rues étaient animées, pleines de bruit et de musique. Ici, c'est trop différent. On se sent… seul au monde.

– On décidera quand on verra Augusta !

Tête baissée sous la pluie, les enfants avancent péniblement en pataugeant dans les flaques. Au sommet de la colline, ils s'arrêtent. Le chemin serpente entre d'autres prairies où paissent des moutons, longe des chaumières, une étable, des granges. Tout au bout, un vaste manoir aux murs blancs apparaît. Une fumée grise monte des cheminées.

– La Grande Maison ! s'écrie Léa.

1. Lire *Le jeune chanteur de jazz*, La cabane magique, n° 37.

– On va pouvoir se sécher devant un bon feu !

Tom et Léa s'élancent. Un gros chien noir aboie à leur passage. Des garçons en train de tailler les haies jettent aux enfants des regards suspicieux.

Tom est soulagé de franchir le portail.

Arrivée sous le porche du manoir, Léa soulève le heurtoir et frappe. Au bout d'un moment, la porte s'entrouvre. Un pâle visage de jeune fille apparaît :

– Qui êtes-vous ? Que voulez-vous ?

– Eh bien, nous… euh…, bégaie Tom.

– Vous êtes envoyés par le majordome ?

– Le… majordome ?

– Oui, oui, c'est ça ! affirme Léa.

– Alors, passez par-derrière !

Et, avant que les enfants aient eu le temps de demander Augusta, la fille leur claque la porte au nez.

– Charmante ! ironise Léa.

– J'espère que ce n'est pas Augusta, bougonne Tom. Et pourquoi lui as-tu dit que nous étions envoyés par ce... euh... je ne sais qui ?

– Parce que c'était un moyen de s'introduire dans la maison. On y va !

Ils contournent le bâtiment. Léa frappe à la porte de derrière.

Cette fois, c'est une jeune fille rousse, en tablier, la tête couverte d'une coiffe blanche, qui vient ouvrir :

– Oui ?

– Bonjour ! dit Léa. Est-ce que vous vous appelez...

Une voix lance de l'intérieur :

– Qui est-ce, Molly ?

« Molly ? pense Tom. Donc, ce n'est pas Augusta. »

– Nous sommes envoyés par le majordome, déclare Léa.

La fille paraît perplexe. Mais elle s'écarte et les invite à entrer :

– Suivez-moi ! Il vous attend à la cuisine.

Les enfants pénètrent dans une salle mal éclairée, imprégnée d'une forte odeur d'oignon et de poisson. Des poêles et des casseroles sont accrochées au mur. Une vieille femme obèse, debout devant une table, pétrit de la pâte à pain.

– Madame, dit Molly, voici ceux que le majordome nous envoie.

La cuisinière examine les nouveaux venus d'un air étonné :

– Eux ?

– Oui, madame, fait Léa.

La grosse femme interpelle un homme aux longues moustaches blanches, qui ronfle, affalé dans un fauteuil devant la cheminée :

– Monsieur O'Leary ?

Le vieux sursaute et ouvre les yeux.

– Les aides que vous nous envoyez sont là ! crie la femme, comme si le dénommé O'Leary était dur d'oreille.

Celui-ci, la mine ensommeillée, considère les enfants :

– Ces deux-là ? Impossible ! J'ai engagé un cocher et un forgeron.

Léa réagit aussitôt :

– Il doit y avoir erreur. Mais nous pouvons sûrement vous rendre service.

– Qu'est-ce que vous savez faire ? interroge le majordome. Ramoner les cheminées ?

– Ou plumer les volailles ? ajoute la cuisinière.

– Euh… non.

– Et les rats ?

Tom n'est pas sûr d'avoir bien entendu :

– Pardon ?

– Les rats, reprend la grosse femme. Il y en a plein la cave. Vous sauriez les attraper ?

– Je… je ne crois pas, non.

– Vous n'êtes que des bons à rien, rugit O'Leary. Dehors !

À cet instant, la porte s'ouvre à la volée. Une fille d'une dizaine d'années, enveloppée dans une cape rouge, entre dans la cuisine.

Elle a deux paniers vides à chaque bras. Ses cheveux mouillés par la pluie sont partagés par une raie et remontés en chignon sur le haut de sa tête.

– Bonjour, mademoiselle Augusta, la salue la cuisinière.

3

Mademoiselle Augusta

Tom et Léa échangent un coup d'œil ravi : la voilà, Augusta !

La fille pose ses paniers et enlève sa cape.

– Vous avez porté les gâteaux à ces pauvres familles, mademoiselle Augusta ? demande Molly.

– Oui, aujourd'hui, j'ai visité sept maisons.

– Sept ? Par ce temps ? Vous êtes un ange tombé du ciel, mademoiselle Augusta. Toujours si généreuse envers les malheureux !

– C'est mon devoir d'aider ceux qui ne sont pas aussi fortunés que moi, affirme la fille.

Découvrant le frère et la sœur, elle s'enquiert :

– Qui sont ces enfants ?

– Ils cherchent du travail, mademoiselle, lui explique la cuisinière. Comme ils ne savent rien faire, j'allais les renvoyer.

– Oh, on ne peut pas les renvoyer comme ça ! se récrie Augusta. Ils ont l'air si fatigués, si misérables !

Tom ne pensait pas avoir aussi triste allure. Mais sa sœur courbe la tête et lâche d'une voix mourante :

– C'est vrai, nous sommes bien fatigués…

« Quelle comédienne, cette Léa ! », pense son frère.

– Venez au salon, on va bavarder un peu, décide Augusta.

La cuisinière s'interpose :

– Mademoiselle Augusta ! Vous ne pouvez pas emmener ces enfants au salon ! Ils sont sales !

– Nous devons être charitables envers les pauvres, même s'ils sont sales, réplique la fille. Leur donner à boire s'ils ont soif, et à manger s'ils ont faim.

– Vous êtes trop bonne, mademoiselle Augusta, fait Molly en secouant la tête.

– Qu'ils ôtent au moins leurs chaussures crottées ! bougonne la cuisinière.

Tom et Léa se déchaussent, laissent leurs souliers et leurs chaussettes mouillées près de la porte. Leurs pieds sont rouges de froid.

Augusta prend dans un récipient deux pommes de terre cuites qu'elle fourre dans la poche de sa jupe, puis elle allume une chandelle au feu de la cheminée :

– Suivez-moi !

– Merci, Augusta, murmure Léa.

– Un peu de respect, s'il te plaît, petite ! gronde la grosse femme. On dit : « Merci, mademoiselle Augusta » !

– Oh, désolée ! Merci, mademoiselle Augusta !

Tom lève les yeux au ciel. C'est ridicule ! Cette fille n'a pas plus de dix ans !

Levant sa chandelle, Augusta conduit ses protégés dans un couloir sombre. Le plancher craque sous leurs pieds nus.

« Comment allons-nous “inspirer” cette drôle de demoiselle ? se demande le garçon. Elle a des manières d’adulte et nous traite comme si nous étions des petits gamins. »

– Entrez, mes enfants, dit Augusta, tandis qu’ils pénètrent dans une vaste pièce.

De lourdes tentures encadrent les fenêtres, les meubles sont en bois foncé. La jeune fille pâle qui leur a ouvert la porte d’entrée brode, assise sur un sofa, près d’une autre qui lui ressemble. Toutes deux jettent à Tom et Léa un regard mauvais.

La première fille grince :

– Tu ne vas pas les amener ici, Augusta !

– Je les ai invités à boire le thé, Gertrude.

Se tournant vers Tom et Léa, elle ajoute :

– Ne faites pas attention à mes sœurs. Prenez un siège, je vous en prie.

– Es-tu devenue folle, Augusta ? s’exclame Gertrude. Ces va-nu-pieds, dans le salon ?

– Mère va être furieuse, intervient l'autre sœur. Ils sont pouilleux et n'ont même pas de souliers !

– La cuisinière les a obligés à se déchausser à la cuisine, Eliza. J'aimerais avoir de bonnes chaussures à leur donner.

Elle insiste :

– Asseyez-vous, mes enfants.

Tom et Léa posent timidement une fesse sur le bord d'un fauteuil.

Les deux sœurs se remettent à leur broderie en haussant les épaules. Augusta les ignore. Elle s'approche d'un guéridon, s'empare d'une théière :

– Un peu de thé ?

– Oui, merci, mademoiselle, répond Léa.

Tom accepte d'un hochement de tête. Un bon thé chaud lui fera du bien. Il est glacé jusqu'aux os. Il y a une cheminée, mais le feu n'est pas allumé. À part quelques livres sur une table, tout, dans cette pièce sombre, lui paraît sinistre.

Pendant qu'Augusta remplit des tasses en porcelaine de Chine, le garçon lit les titres des ouvrages. Parmi eux, il reconnaît *Le théâtre de Shakespeare* et *La légende du roi Arthur*. Ça lui rappelle de bons souvenirs, et il se sent un peu mieux.

Augusta leur apporte une tasse à chacun. Puis elle tire les pommes de terre de sa poche et les leur tend.

– Merci beaucoup, mademoiselle Augusta, dit Léa.

Tom avale une gorgée de thé ; il est amer et brûlant. Il mord à pleines dents dans la pomme de terre ; elle est froide et pas assez cuite.

Léa, elle, n'oublie pas la raison de leur présence dans cet étrange endroit. Elle se lance :

– Dites-moi, mademoiselle Augusta, qu'est-ce qui vous… inspire ?

La fille paraît perplexe :

– Je ne vois pas de quoi tu veux parler.

– Vous aimez lire ? enchaîne Tom en désignant la table.

– Ces livres appartiennent à mes frères.

– Augusta n'a pas le droit de lire de tels ouvrages, intervient Gertrude.

– Elle n'a pas encore l'âge, renchérit Eliza.

– Ah ? fait Tom. Pourquoi ?

– Mère dit que ce n'est pas pour les demoiselles, explique Augusta.

Tout bas, elle avoue :

– Mais j'emprunte quelquefois des livres aux garçons en cachette. J'aime les histoires. Je me souviens parfaitement de toutes celles que j'ai pu lire.

– C’est comme moi, s’exclame Léa. J’adore la lecture !

Sur leur sofa, les deux grandes sœurs ont un sourire pincé.

– Ne raconte pas n’importe quoi, petite ! dit Eliza. Comment aurais-tu appris à lire ?

– Je sais lire depuis longtemps ! riposte Léa. Tom et moi, nous dévorons les livres. Nous savons des tas de choses sur le roi Arthur, et nous avons vu des pièces de Shakespeare avec nos parents. On a même joué dans *Le songe d’une nuit d’été* !

– Pour un spectacle de l’école, s’empresse d’ajouter Tom, avant que sa sœur se vante d’avoir rencontré Shakespeare en personne[1].

– *Le songe d’une nuit d’été* ? répète Augusta, stupéfaite.

– Ne les écoute pas, ricane Gertrude. Ces gamins n’ont jamais mis les pieds à l’école. Et encore moins dans un théâtre !

1. Lire *Sur scène !*, La cabane magique, n° 20.

– C’est aussi ce que je pense, déclare une voix sèche.

Une grande femme se tient sur le seuil de la porte, droite et hautaine dans sa longue robe de velours noir.
Elle pose sur Tom et Léa
un regard méprisant.

– Mère !
s’écrie Eliza.

Que savez-vous faire ?

– Bonjour, madame ! disent aimablement le frère et la sœur.

La maîtresse de maison ne daigne pas répondre. Elle observe les pieds nus des enfants. Ce regard donne à Tom l'envie de disparaître dans son siège.

– C'est Augusta qui les a amenés ici, Mère ! s'empresse d'expliquer Gertrude.

– Ils m'ont fait pitié, Mère, plaide Augusta. Ils étaient si mouillés, si misérables…

Un mince sourire étire la bouche de la femme :

– C'est très gentil à vous, ma fille, de vous soucier des pauvres. Mais des créatures aussi sales ne devraient pas être assises sur les fauteuils du salon.

– Ils avaient faim, Mère.

– Et je vois que vous les avez nourris. À présent, il est temps de les congédier.

Tom et Léa se lèvent d'un bond. Le garçon a hâte de s'en aller. Ces personnes parlent d'eux comme s'ils étaient des chats perdus.

Augusta ne bouge pas.

– Tu as entendu ? intervient Gertrude. Mets-les dehors ! Ils sont crasseux. Ils ont sûrement des poux.

À ce mot, Tom sent aussitôt son cuir chevelu le démanger. Il lève la main pour se gratter.

– Vous voyez ! piaille Gertrude.

– Augusta ! lance la mère d'une voix autoritaire.

La fille rousse marmonne :

– Oh, d'accord ! Je tâchais seulement d'être bonne.

Elle se tourne vers Tom et Léa :

– Venez ! Je vous accompagne jusqu'au chemin. Je ne voudrais pas que les chiens vous attaquent.

Au moment où elle va quitter la pièce, sa mère l'attrape par les épaules :

– Tenez-vous droite, ma fille !

Ils suivent en sens inverse le couloir sombre, retrouvent la cuisine et ses odeurs de poisson. Le vieux majordome ronfle toujours auprès du feu.

– Où allez-vous, mademoiselle Augusta ? s'enquiert la cuisinière.

– J'ai ordre de renvoyer ces pauvres enfants dehors, dans le froid, répond la fille.

Elle s'enveloppe dans sa cape rouge, tandis que Tom et Léa enfilent leurs chaussettes et leurs souliers trempés.

Ils sortent tous les trois, et la porte claque derrière eux. Malgré le vent et la pluie, Tom se sent beaucoup mieux à l'extérieur de la Grande Maison qu'à l'intérieur.

Sa sœur et lui franchissent le portail et suivent Augusta sur le chemin. Elle marche devant, d'un pas raide, telle une mère cane menant ses petits.

– Comment on va s'y prendre avec elle ? chuchote Léa à l'oreille de son frère.

– Je ne sais pas, soupire le garçon. Elle n'a pas l'air très imaginative.

– Eh bien, c'est à nous de *l'inspirer* ! Viens, rattrapons-la !

– Mademoiselle Augusta, commence Léa en rejoignant la fille, aimez-vous danser ? Peindre ? Jouer d'un instrument de musique ? Des choses de ce genre ?

La réponse claque sèchement :

– Non.

Augusta a l'air furieuse. Sans doute en veut-elle à sa mère.

– Et la nature ? continue Léa. Les bois, les arbres, les oiseaux, vous les aimez ?

– Plus maintenant. Autrefois, je courais dans la forêt avec mes frères. Ils disaient que j'étais un rouge-gorge avec des yeux de faucon. Je savais trouver les terriers des loutres et les nids des oiseaux, les futaies où les cerfs se cachaient. Je connaissais les noms de tous les arbres, les chênes, les hêtres, les ormes, les noisetiers, les mélèzes…

La voix de la fille se met à trembler comme si elle était au bord des larmes :

– Je n'ai plus le droit de me promener dans les bois. Mère dit que ce n'est pas convenable pour une jeune fille.

– C'est trop triste, compatit Léa.

Augusta relève la tête :

– Assez parlé de moi ! Comment puis-je vous aider ? La cuisinière dit que vous ne savez rien faire.

– Elle voulait qu'on ramone les cheminées, qu'on plume les volailles et qu'on chasse les rats. On n'a jamais fait ce genre de choses.

– Et tondre les moutons, traire les vaches, baratter le beurre, tisser la laine, dépouiller les lapins… ?

En entendant cette liste, Tom et Léa éclatent de rire.

Augusta fronce les sourcils :

– Ça n'a rien de drôle ! Chaque jour, vous devez vous demander : à quoi suis-je utile ?

« Bonne question », pense Tom.

– J'ai un autre conseil à vous donner, poursuit Augusta. Ne racontez pas de mensonges pour vous rendre intéressants.

– Comme quoi ? fait Tom.

– Vous n'avez jamais joué dans une pièce de Shakespeare !

– Si ! Ma sœur a dit la vérité. Nous avions tous les deux un petit rôle dans *Le songe d'une nuit d'été*.

– Nous interprétions des fées des bois, ajoute Léa. Nous portions des costumes verts. Tom a récité un monologue. Moi, j'ai chanté et dansé.

Augusta secoue la tête :

– Mes pauvres petits ! Vous inventez ces fariboles pour oublier votre misère. Vous…

Le garçon l'interrompt :

– Hé, minute ! Quelle bêcheuse tu fais !

– Moi, une bêcheuse ?

Elle paraît si ahurie que Léa intervient :

– Attends, Tom…

– Non, reprend le garçon, je parle sérieusement. Cette fille se croit supérieure.

– Pas du tout ! proteste Augusta. Chaque jour, je parcours des miles[1] à pied pour porter des gâteaux et des vêtements à de pauvres enfants comme vous !

– C'est très gentil à toi ! Mais tu te crois meilleure qu'eux. Tu n'en ferais pas tes amis.

– C'est faux ! J'aime ces gens ! J'ai une grande amie qui est très pauvre. Certains disent même qu'elle n'a pas toute sa raison. Pourtant, je la chéris tendrement.

– Qui est-ce ? s'enquiert Léa.

– Mary Sheridan, ma vieille nourrice. Elle vous dira qui je suis vraiment. Venez ! Allons la voir !

Augusta quitte le chemin et se met à courir dans la prairie, sa cape rouge flottant derrière elle.

1. Un mile est une mesure anglaise équivalant à environ 1,6 km.

Léa glisse à son frère :

– Je ne pense pas que tu l'aies *inspirée*…

– Je sais. Désolé. Je ne supportais plus ses grands airs.

– Tâche de les supporter ! On est là pour l'aider, pas pour la vexer.

– Elle m'a bien vexé, moi !

– Oui, moi aussi. Seulement, on est en mission, essaie de ne pas l'oublier ! Allez, rattrapons-la !

Ils arrivent bientôt devant une maisonnette au toit de chaume. Les oiseaux qui picorent des miettes sur le pas de la porte s'envolent à leur approche.

– Mary ! Mary ! appelle la fille en frappant. C'est moi, Augusta.

– Entrez, chérie, répond une voix.

Augusta soulève le loquet, et les enfants la suivent à l'intérieur.

Mary Sheridan, enveloppée dans un châle, caresse un chat roux près de la cheminée.

Ses cheveux sont blancs, ses yeux très bleus. Il lui manque quelques dents, mais son sourire est chaleureux :

– Bienvenue, mes enfants, en cette belle journée d'hiver !

Un conte au coin du feu

Augusta se penche pour embrasser les joues ridées de sa nourrice :

– Bonjour, Mary.

Contrairement au salon de la Grande Maison, l'humble pièce est chaude et accueillante. On y respire une odeur de feuilles mortes, de pain frais et de soupe. La lueur du feu danse sur le sol de terre battue, sur les murs de pierre nue. Ici et là, l'eau goutte par les trous du toit et tombe dans des seaux avec des *ploc, ploc !* réguliers.

– Qui m'amenez-vous, mademoiselle Augusta ?

– Deux petits pauvres. Je voudrais que vous leur expliquiez qui je suis vraiment : quelqu'un qui aime sincèrement les malheureux et qui tâche de leur venir en aide.

– Asseyez-vous donc ! les invite la vieille femme. Boirez-vous une soupe chaude ?

– Volontiers. Mais voulez-vous leur dire…

– Oui, oui, je vais leur parler de vous, l'interrompt Mary.

Tandis qu'Augusta, Tom et Léa s'installent sur des chaises branlantes, la nourrice se lève. Elle prend un chaudron, posé sur un trépied au-dessus des braises et verse le liquide odorant dans trois bols qu'elle tend à ses visiteurs.

Tom boit une gorgée et se lèche la lèvre. La soupe est délicieuse ; le garçon se sent réchauffé pour la première fois depuis leur arrivée dans ce pays pluvieux.

– Eh bien, mon enfant, qu'avez-vous fait, aujourd'hui ?

Augusta redresse la tête avec fierté :

– J'ai porté des gâteaux à plusieurs familles. À mon retour, j'ai trouvé ces deux enfants à la cuisine. Ils cherchaient du travail. J'ai fait ce que j'ai pu pour les aider, mais ils prétendent que je suis une bêcheuse. C'est pourquoi je les amène ici, afin que vous leur disiez la vérité sur ma personne.

– Et comment les avez-vous aidés, mademoiselle Augusta ?

– Je les ai questionnés sur ce qu'ils savaient faire. Or, ils ne sont bons à rien.

– Ah oui ?

Mary observe Tom et Léa avec des yeux pétillants :

– Eh bien, mes petits, racontez-moi : comment aimez-vous occuper votre temps ? Avez-vous des passions ?

– On aime… lire, répond le garçon.

– Et écrire, ajoute sa sœur.

– Lire et écrire ? objecte Augusta. Ça m'étonnerait !

Mary continue, comme si elle n'avait pas entendu :

– Et qu'aimez-vous lire et écrire ?

– Surtout des histoires vraies, déclare le garçon.

– Tom note tout ce qu'il voit, tout ce qui l'intéresse, précise Léa.

Augusta intervient de nouveau :

– Vous allez voir, Mary ! Bientôt, ils vont prétendre qu'ils ont joué dans une pièce de Shakespeare !

– C'est la vérité ! s'écrie Tom. Ma sœur et moi, nous avons interprété des fées dans *Le songe d'une nuit d'été* ! J'avais un de ces tracs ! Mais Will m'a …

– Il veut parler de William Shakespeare, le coupe Léa.

– Oui, il m'a aidé à vaincre ma peur d'entrer en scène.

– Will était si bon, si intelligent !

– Bien sûr, qu'il l'était, approuve la vieille femme. On le devine dans ses pièces.

– S'il vous plaît, Mary, arrêtez ces bêtises ! explose Augusta. Parlez-leur plutôt de moi !

Mary lui fait signe de se taire :

– Un instant, mon enfant !

Se penchant vers le frère et la sœur, elle murmure :

– Dites-moi : où est l'été ?

« Cette question n'a pas de sens », pense Tom.

Léa secoue la tête :

– Je ne sais pas. Et vous, Mary, vous savez où est l'été ?

La vieille femme se met à rire :

– L'été se cache avec les Sidhes.

– Les Sidhes ?

– C'est le nom que les Irlandais donnent au peuple des fées. En hiver, les Sidhes volent la chaleur du soleil, ne nous laissant que le froid et la pluie.

Tom et Léa rient avec elle.

– Les fées de Shakespeare sont comme les Sidhes, reprend Mary. En avez-vous rencontré, par ici ?

– Mary ! proteste Augusta, agacée.

– Pas encore, avoue Léa.

– Quel dommage ! Moi, j'ai eu cette chance.

Mary se tourne vers Tom :

– C'est une histoire vraie. Tu aimerais peut-être la noter ?

– Oh, certainement !

Le garçon sort de sa poche son carnet et son crayon. Augusta fronce les sourcils.

La vieille femme commence sur un ton mystérieux :

– Un jour, il y a bien longtemps de cela, une jeune fille solitaire se promenait au bord d'un ruisseau, dans une très ancienne forêt. Tout était calme. Soudain, une musique joyeuse s'éleva, un air venu d'un monde caché.

Tom adore cette façon de raconter. Il griffonne :

ancienne forêt, musique joyeuse, monde caché.

– Tu sais écrire…, marmonne Augusta.

Mary poursuit :

– Puis un coup de vent soudain agita les branches. Un rayon de lumière fit étinceler le ruisseau.

Tom gribouille en vitesse :

coup de vent, rayon de lumière.

D'une voix forte, Mary lance :

– Alors, ils surgirent, dans un bruit de tonnerre !

– Mary ! s'impatiente Augusta.

La conteuse n'y prend pas garde :

– Certains avaient des ailes, d'autres montaient des chevaux blancs. Il y avait

des rois et des reines, vêtus de robes aux couleurs de l'été, de l'automne, de l'hiver et du printemps !

Tom note à toute allure :

ailes, chevaux blancs,
rois et reines.

– Ils galopaient en cercle, si vite qu'ils formaient un tourbillon aveuglant. Ils soulevèrent la jeune fille solitaire et la transportèrent sur l'autre rive du ruisseau, vers leur cachette secrète au creux d'une colline. Si la jeune fille avait osé y pénétrer, elle serait devenue toute petite et aurait découvert mille merveilles !

Le crayon de Tom gratte le papier :

jeune fille transportée,
cachette secrète,
mille merveilles.

Quand la conteuse reprend la parole, c'est à voix très basse :

– Mais elle eut peur. Elle s'enfuit et courut se réfugier dans sa maison.

Mary s'adosse à sa chaise et ferme les yeux. On n'entend plus, dans la chaumière, que le crépitement du feu et le *ploc, ploc !* des gouttes tombant du plafond.

– Mary, l'interroge doucement Léa, êtes-vous la jeune fille de l'histoire ?

La vieille femme la regarde entre ses paupières mi-closes :

– Devinez !

– Oh, Mary ! la réprimande Augusta. Ce ne sont que des contes. Vous n'y croyez tout de même pas ?

– Bien sûr que si ! Chaque soir, je dépose une soucoupe de lait et des miettes de pain sur le pas de la porte pour les Sidhes. Au matin, il n'y a plus rien.

– Voyons ! Ce sont des chats qui boivent le lait et des oiseaux qui mangent le pain.

– Les chats et les oiseaux viennent, mais les Sidhes passent les premiers. Au crépuscule, ils sortent de leurs cachettes secrètes. Demandez aux vieux pêcheurs du comté de Galway. Demandez aux bergers et aux servantes !

Augusta secoue la tête avec tristesse :

– Seuls les simples d'esprit se laissent prendre à ces sornettes ! Les personnes cultivées savent faire la différence entre la réalité et l'imaginaire.

– Non, chérie. Elles croient le savoir.

Augusta pince les lèvres :

– Nous devons partir, maintenant. Alors, Mary, s'il vous plaît, dites à ces enfants qui je suis vraiment.

La vieille femme se tourne vers eux :

– Comment vous appelez-vous, mes chers petits ?

C'est la première fois depuis leur arrivée qu'on leur pose cette question !

Chacun leur tour, ils se présentent.

– Eh bien, Tom et Léa, merci de votre visite. Je devine que vous êtes des enfants peu ordinaires.

– Et moi, Mary ? intervient Augusta.

– Vous non plus, vous n'êtes pas ordinaire. À votre façon.

– Comment ça ?

– Vous êtes intelligente et vous essayez de toutes vos forces d'être bonne. Mais…

– Mais quoi ?

– Vous n'êtes pas heureuse, et cela me brise le cœur.

Les yeux d'Augusta s'emplissent de larmes.

– Oh, non... Augusta, ne pleure pas ! s'écrie Léa.

Elle s'avance pour lui prendre la main ; la fille recule d'un pas :

– C'est stupide. Je suis parfaitement heureuse. Je n'ai jamais vu de Sidhes, je n'en verrai jamais et ça m'est complètement égal. Et, si tu aimes ces gosses de pauvres plus que moi, Mary, ça m'est égal aussi.

Elle court à la porte. Un souffle d'air humide s'engouffre dans la pièce tandis qu'Augusta s'élance sous la pluie, sa cape rouge voletant derrière elle.

6

Un rêve éveillé

Tom soupire. Leur mission commence plutôt mal.

– On ferait mieux de la suivre, dit Léa inquiète.

– Elle n'ira pas loin, la rassure Mary. Ma pauvre Augusta… Elle a l'esprit vif et son cœur est bon. Mais elle est si malheureuse !

– Pourquoi est-elle tellement malheureuse ? demande Léa.

– Oui, on ne comprend pas quel est son problème, ajoute Tom.

– Elle aimait tant écouter mes contes ! Plus qu'aucun de ses frères et sœurs. Elle les connaît par cœur. Elle pourrait vous les répéter mot pour mot. La vérité, c'est qu'elle désire plus que tout voir les Sidhes. Je l'ai surprise, une nuit. Elle marchait dans les champs, une lanterne à la main, en les appelant. Elle a même utilisé une loupe pour relever leurs minuscules empreintes. Hélas ! elle n'a jamais rien trouvé.

– Pourquoi ? demande Léa.

Mary fixe le feu, pensive :

– Parce qu'elle les cherche avec sa tête, pas avec son cœur. Elle a fini par abandonner. Et elle ne veut plus écouter mes histoires. Depuis, elle est très raisonnable et très triste.

– Quel malheur ! soupire la petite fille. Comment l'aider ?

– Il y a peut-être un moyen.

– Lequel ? s'enquiert Tom.

La vieille femme se penche vers eux. Ses yeux bleus plongent droit dans ceux des enfants :

– Lui prouver que la magie existe.

« Quoi ? pense le garçon. Mary connaît-elle l'existence de la cabane magique ? »

– Que voulez-vous dire ?

– Vous êtes comme moi, mes petits. Vous voyez des choses que les autres ne voient pas. Apprenez à Augusta à regarder autrement les champs, les bois, à comprendre que la magie les habite.

Tom et Léa restent silencieux. On n'entend plus que le crépitement du feu et le souffle du vent.

Enfin, Léa se décide :

– D'accord. Nous savons ce que nous avons à faire.

– Tu crois ? s'étonne Tom.

– Oui, oui, reprend sa sœur. Viens, on va en parler dehors.

Elle se tourne vers la nourrice :

– Merci, Mary ! Ne vous inquiétez pas. On va rattraper Augusta.

– Alors, mille bons souhaits à vous deux, en ce beau jour d'hiver !

– Mille bons souhaits à vous aussi, dit Tom.

Les enfants quittent l'accueillante chaumière, faisant s'envoler de nouveau les oiseaux qui picorent sur le seuil.

Ils sont un peu réchauffés, et la pluie a cessé. Augusta est assise sur un muret de pierres, au bord d'un pré où paissent des moutons. On distingue à peine sa cape rouge, dans le brouillard.

– Mary avait raison, constate Tom. Elle n'est pas allée très loin. Mais comment lui faire découvrir la magie ?

– En jouant de la flûte ! affirme Léa.

– On ne peut pas, objecte son frère. On ne doit l'utiliser qu'en cas de danger.

– Eh bien, c'est le moment.

– Ah oui ? On n'est pas en danger !

– Nous, non. Augusta, si. Elle est en grand danger de perdre l'espoir et la joie de vivre, de rester triste et déprimée pour toujours. Alors, jamais elle ne trouvera l'inspiration, jamais elle ne fera profiter le monde de son talent ! Il est peut-être déjà trop tard.

– D'accord, d'accord, admet Tom. Mais tu crois qu'il nous suffira de souffler dans la flûte et de chanter ? J'en doute.

– Hmmm..., tu as raison.

– On n'a qu'à dire à Augusta qu'on va créer une pièce rien que pour elle.

– Une pièce ?

– Oui ! Pour lui prouver qu'on n'a pas menti, qu'on a vraiment joué dans une comédie de Shakespeare.

– Ce n'est pas bête, admet la petite fille.

– On soufflera dans la flûte, continue le garçon. On improvisera une chanson sur les Sidhes. Ça les fera apparaître, galopant en cercle comme dans les contes de Mary. Augusta les verra. Elle trouvera l'inspiration. Et notre mission sera terminée !

– Super ! Allons-y !

Les enfants courent jusqu'au muret.

– Mademoiselle Augusta, s'écrie Léa, nous venons d'avoir une très bonne idée.

La fille ne réagit pas. Elle fixe le sol, l'air boudeur.

– On va vous jouer une pièce, enchaîne Tom.

Augusta le regarde du coin de l'œil, intriguée.

– Un petit spectacle de notre invention, précise Léa. Alors vous comprendrez qu'on est réellement montés sur une scène de théâtre.

La fille ne semble pas très convaincue.

– Ça vous plaira, insiste Tom. Connaissez-vous un coin tranquille où l'on ne sera pas dérangés ?

Augusta se mord un instant la lèvre. Puis elle se lève :

– Le bord de la rivière, près de la forêt. L'endroit où j'allais avec mes frères.

Ils traversent la prairie détrempée. Un chemin en pente descend vers un large ruisseau qui sépare le pré de la forêt. Les arbres ressemblent à des fantômes, dans le brouillard.

Augusta s'arrête sur la rive, à côté de grosses pierres.

– C'est parfait, approuve Tom. Ce rocher plat nous servira de scène.

Léa annonce :

– Notre pièce s'intitule *Le songe d'un jour d'hiver.*

« Bien trouvé », se dit le garçon.

Ils grimpent sur l'estrade improvisée, et Léa poursuit :

– Je vais jouer un air, et mon frère interprétera l'histoire en chantant.

– Hein ? Comment ça, moi ?

Tom se tourne vers Augusta :

– Euh… Excusez-nous une minute.

Il tire Léa à l'écart et chuchote :

– C'est moi qui joue, plutôt. Et toi, tu chantes.

– Non. Tu as noté ce que racontait Mary. Tu sauras bien en faire les paroles d'une chanson.

– Hmmm… Peut-être.

– Super ! Passe-moi la flûte.

Tom sort de sa poche son carnet et l'instrument, qu'il tend à sa sœur.

– Nous sommes prêts, mademoiselle Augusta, déclare la petite fille.

Elle donne ses dernières instructions à son frère :

– Bon. Tu improvises une introduction. Puis je commence à jouer, et tu te mets à chanter.

– D'accord, allons-y !

Ils se placent face à leur spectatrice. Tom s'éclaircit la voix et lance :

Tout est calme, dans l'Ancienne Forêt.
Soudain, une musique retentit,
Venue d'un monde secret...

À ces mots, Léa porte la flûte à sa bouche et souffle doucement.

Un air étrange résonne, triste et gai à la fois. Il parle de beauté et d'espoir, de joie et de chagrin. Tel le brouillard flottant sur la rivière, la musique mêle tout ensemble, si puissante que la gorge de Tom se serre. Il a envie de rire et de pleurer en même temps. Enfin, il continue :

Dans un tourbillon de lumière,
Comme on en voit parfois en rêve,
Voici qu'un grand pont s'élève
Et enjambe la rivière.

Le garçon en est tout étonné : les paroles de sa chanson sont très jolies.

L'instrument magique émet une longue note aiguë. Une vive lumière illumine le brouillard, formant une arche mouvante. Augusta lâche une exclamation.

Tom poursuit :

Certains ont des ailes d'oiseaux,
D'autres montent de blancs chevaux.
Quittant leur monde enchanté, ils viennent,
Les petits rois et les petites reines !

Soudain, un coup de vent secoue les branches, les feuilles tourbillonnent. La musique se fait plus sauvage.

Un bruit de galopade monte de la forêt. Une troupe de minuscules chevaux blancs surgit du brouillard. Ils portent sur leur dos de hardis cavaliers, des hommes casqués d'or, des femmes aux chevelures flottantes.

Les couleurs de leurs capes et de leurs robes évoquent le rose pâle de l'aube au printemps, le vert des prairies d'été, l'or des chênes en automne, le bleu des crépuscules d'hiver.

– Les Sidhes ! s'écrie Augusta, bouleversée.

7

Willy

Des centaines de Sidhes franchissent la rivière au grand galop. D'autres volent au-dessus des cavaliers, agitant leurs ailes tels des papillons.

Augusta, les mains pressées contre son cœur, est subjuguée.

– Incroyable ! lâche Léa.

– Continue de jouer ! lui crie son frère.

La petite fille se remet à souffler dans l'instrument.

Les Sidhes volettent et cavalcadent le long de la rive herbue.

Les sabots rapides de leurs chevaux, le cou arqué, les yeux flamboyants, martèlent le sol. Ils tournoient de plus en plus vite, formant un cercle de couleurs et de lumière aveuglant.

L'air magique produit par la flûte inspire à Tom de nouvelles paroles.

Après un coup d'œil à son carnet, il enchaîne :

En tourbillon, ils s'enfuient,
Si beaux, si libres, si sauvages.
Ils emportent une fille sage
Vers la colline des Sidhes.

– Tom ! s'exclame Léa. Non !

Une violente rafale manque de renverser les deux acteurs. Ils s'accroupissent et se couvrent la tête de leurs bras.

Quand le vent s'apaise enfin, ils ont juste le temps de voir la spirale de lumière s'enfoncer dans la vieille forêt.

Les Sidhes sont partis. De nouveau, le ciel, la terre et l'eau se confondent dans une brume argentée.

Le garçon en reste abasourdi :

– Waouh ! C'était fantastique !

– Tom ! Tu sais ce que tu as fait ?

– J'ai fait apparaître et disparaître le peuple des Sidhes. Je me suis inspiré de l'histoire racontée par Mary, comme tu l'as suggéré.

– Oui. Et tu as fait disparaître Augusta aussi !

– Quoi ?

– Les Sidhes ont enlevé Augusta ! crie Léa. Je t'ai prévenu trop tard. Tu avais déjà chanté les mots.

– Quels mots ?

– « Ils emportent une fille sage vers la colline des Sidhes. »

Tom est atterré :

– Tu es sûre ? Oh non !

Tous deux courent jusqu'à la rive. Les mains en porte-voix, ils appellent :

– Augusta !

Ils cherchent des yeux la cape rouge. Elle n'est plus là.

– Tu vois, reprend Léa. Augusta est partie avec eux.

– C'est ma faute, gémit Tom. Il faut qu'on la retrouve.

– Allons demander conseil à Mary, propose la petite fille. Elle…

Son frère l'interrompt :

– Chut ! Écoute ! C'est quoi, ce bruit ?

Des sifflements stridents montent de derrière les rochers. On dirait que quelqu'un souffle dans la flûte enchantée. Mais les sons qui en sortent n'ont rien d'enchanteur !

– La flûte ! s'écrie Léa. J'ai dû la laisser tomber !

– C'est peut-être Augusta ?

Ils retournent vite sur place.

Un bonhomme qui arrive tout juste au genou de Tom s'est emparé de l'instrument. Il a de longues oreilles, une barbe rousse en broussaille, de petites jambes maigres. Il est vêtu d'un gilet vert et coiffé d'un tricorne orné d'une plume blanche.

– Un farfadet ! lâche Léa.

Le frère et la sœur observent le drôle de musicien. Il a beau faire danser ses doigts minuscules sur les trous, il ne produit que des piaillements aigus.

Le farfadet souffle, souffle. Il s'arrête, examine la flûte dans tous les sens, secoue la tête d'un air dépité.

– Bonjour ! lance Léa.

Le bonhomme sursaute. En découvrant les enfants, il a un sourire soulagé :

– Bonjour à vous ! Vous m'avez fait peur. Tenez, je vous rends ça. Je ne sais pas m'en servir, comme vous pouvez le constater.

Tom récupère la flûte et la range dans sa poche.

– Écoutez, commence-t-il, vous pouvez peut-être nous aider. Notre amie…

– Oh, avec vous, les humains, c'est tout le temps la même chose ! Vous êtes toujours trop pressés ! le coupe le farfadet.

– Excusez-moi, reprend le garçon. C'est que nous avons vraiment des ennuis. Figurez-vous que…

– Tut, tut, tut ! Pas si vite ! Commencez donc par me dire qui vous êtes !

– Mon nom est Tom. Voici ma sœur, Léa. Notre amie…

– Enchanté, Tom et Léa. Je suis Willy. Maintenant, que les choses soient claires : ne m'appelez jamais Petit Willy ni Mini Willy, je n'aime pas ça. Et surtout pas Willy Riquiqui, je déteste !

– Oh pas de problème ! Mais…

Léa intervient alors :

– Laisse-moi faire, Tom !

Elle se penche vers le farfadet :

– Dites-moi, Willy, pourquoi n'avez-vous pas retraversé la rivière avec les Sidhes ?

– Demandez-moi d'abord pourquoi j'ai traversé la rivière, et je répondrai à vos deux questions.

– Très bien. Pourquoi avez-vous traversé la rivière, Willy ? Et pourquoi n'êtes-vous pas reparti avec les Sidhes ?

– Réponse numéro un : j'étais en train de faire une petite sieste dans les roseaux quand votre musique m'a réveillé. Avant d'avoir eu le temps de comprendre ce qui m'arrivait, je traversais la rivière avec les Sidhes. Vous n'avez sans doute pas remarqué ma présence, au milieu de leur tourbillon.

– Pardon, nous…, tente Tom.

Willy poursuit :

– J'ai déjà entendu de bons airs de flûte, mais le vôtre, mademoiselle, ne ressemblait à rien de ce que jouent habituellement les humains. Non, en neuf cents ans, rien de semblable n'avait jamais résonné à mes oreilles ! D'où, réponse numéro deux : je ne suis pas reparti parce que je désirais découvrir le secret de votre art. Alors ?

– Mon secret est simple, explique Léa. La flûte joue toute seule.

– Ah, je vois ! Une jeune fille aussi modeste que talentueuse !

– Non, pas vraiment…

– Écoutez, Willy, intervient Tom. Nous avons perdu notre amie Augusta. C'est ma faute. À cause de ma chanson, les Sidhes l'ont entraînée avec eux.

– Oui, j'ai vu. Elle a été emportée. À présent, vous voulez que je vous aide à la retrouver, c'est ça ?

– C'est exactement ça ! s'écrie Tom.

– Nous pensions demander conseil à Mary Sheridan, ajoute Léa. Mais vous savez sans doute…

– Un instant, la coupe le farfadet. Mary Sheridan, dites-vous ?

– Vous connaissez Mary ?

Le visage de Willy se fend d'un large sourire :

– Bien sûr, que je la connais ! Si j'avais mesuré un bon mètre de plus, j'aurais épousé Mary Sheridan ! Nous sommes de grands amis. Voyez-vous, je vis dans ce qu'on appelle *l'entre-deux* : un pied dans le monde magique des Sidhes, l'autre dans celui des humains, comme Mary. Ah, la jolie Mary… !

– Oui, glisse Tom. C'est une femme merveilleuse. Nous…

– Donc, poursuit Willy, vous souhaitez que je vous guide jusqu'à votre amie.

– C’est ça !

– Je peux le faire. Que me donnerez-vous en échange ? Mon temps est précieux, figurez-vous.

– On n’a pas grand-chose à vous offrir, déplore Tom.

– On est très pauvres, renchérit Léa.

– C’est ce que je vois. Alors, voici ce que je vous propose : je vous conduis jusqu’à votre amie, et vous m’apprenez à jouer de la flûte. Ça vous paraît honnête ?

– Désolée, commence la petite fille, je…

– Marché conclu ! s’exclame le garçon, prêt à promettre n’importe quoi pour retrouver Augusta.

– Tom ! proteste Léa.

Mais Willy s'écrie, tout réjoui :

– C'est magnifique ! Je serais si heureux de jouer comme ça pour Mary, un jour ! Maintenant, je vais vous montrer un chemin très secret. Vous ne devrez jamais le révéler à personne !

– Certainement pas ! lui assure Tom.

– Alors, en route ! Traversons la rivière ! Je vous emmène chez les Sidhes !

8

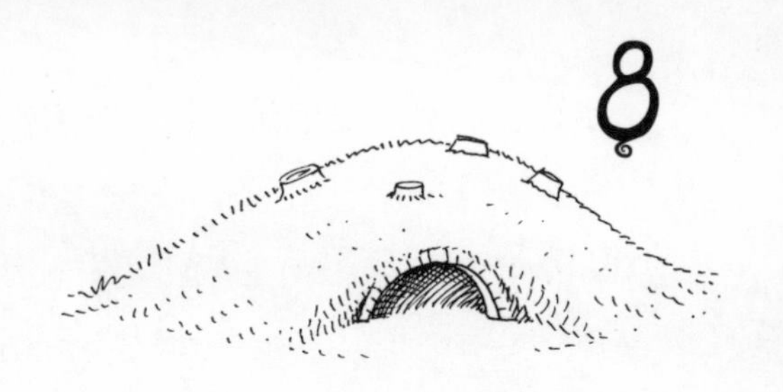

La colline creuse

Le farfadet descend vers la rive en se dandinant sur ses courtes jambes. Tom s'apprête à le suivre quand Léa le retient :

– Tom, la magie de la flûte ne fonctionnera pas pour Willy !

– Je sais. On s'occupera de ça plus tard. Pour l'instant, on doit sauver Augusta. Allez, viens !

Ils se dépêchent de rattraper Willy.

La rivière est large, le courant rapide.

– Willy, comment va-t-on traverser ? s'enquiert Tom.

– Longeons le bord,
dit le farfadet, je vais vous montrer.

Il ouvre la marche. Le frère et la sœur le suivent de très près. Tom glisse sur le sol spongieux ; ses bottines s'emplissent de boue et font d'affreux bruits mouillés à chacun de ses pas.

La rivière devient plus étroite, elle sinue comme un serpent. La brume s'épaissit, et le garçon n'y voit pas grand-chose. Il heurte soudain le dos de Willy, manquant de le renverser.

– Doucement ! grommelle le farfadet. Voilà le gué. Sautez de pierre en pierre derrière moi.

Et il disparaît dans le brouillard. Léa s'élance à sa suite. Son frère se risque à son tour sur les rochers glissants. Au troisième saut, sa semelle dérape sur la mousse. Il tombe dans l'eau glacée avec un gros *plouf !*

– Tom ? Ça va ? s'inquiète la petite fille.

– Oui, oui, je n'ai rien de cassé…

Il se relève péniblement. Avec ses vêtements imbibés d'eau, il a l'air tout à fait misérable. Il rejoint ses compagnons sur l'autre rive en trébuchant.

– Ah, vous êtes tombé ! fait Willy. Ça arrive parfois. Venez, entrons dans la forêt !

Ils marchent sous les érables et les vieux chênes dont le vent fait craquer les branches. Tom grelotte dans ses habits trempés.

Un gros corbeau noir croasse, perché sur une branche nue.

Willy sursaute, puis se met à rire :

– Ah, c'est Patrick Daly ! On dit que les Sidhes l'ont transformé en corbeau pour le punir d'avoir volé une paire de chaussures à la Grande Reine.

– Vraiment ? fait Tom.

Le farfadet opine de la tête.

– Changer en animaux les humains qui leur ont déplu, c'est le tour préféré des Sidhes.

– Oh !

Une petite bête blanche traverse le sentier en quelques bonds.

– Et ce lapin, continue Willy, c'est probablement Mme McCartie. Elle a parlé au Grand Roi avec insolence.

– Avec… insolence ? bégaie le garçon.

Il a l'impression d'être en plein cauchemar.

– Les Sidhes ne supportent pas que les humains leur manquent de respect, poursuit Willy. Tenez, regardez !

Il désigne un faon à demi caché derrière un tronc.

– Qu'il est mignon ! s'attendrit Léa.

– Mignon ? Peut-être. Peut-être pas. Ça pourrait bien être le vieux John Foley.

Il paraît qu'il a été métamorphosé rien que pour avoir ronchonné.

Le farfadet conduit ses protégés jusqu'à un enchevêtrement de ronces et d'églantiers.

– La colline creuse des Sidhes est juste derrière ce buisson, indique Willy. Vous êtes toujours décidés à retrouver votre amie ?

– Oui, murmurent ensemble Tom et Léa.

– Eh bien, allez-y ! Et bonne chance ! lance le farfadet en soulevant son chapeau.

– Quoi ? fait Tom. Vous ne nous accompagnez pas ?

– Sûrement pas ! Les Sidhes seraient furieux s'ils apprenaient que j'ai révélé à des humains l'emplacement de leur cachette secrète ! Et je n'ai pas envie de passer le reste de mes jours dans la peau d'un rat ou d'un hibou !

Voilà qui n'est guère rassurant !

Tom demande :

– S'ils nous voient, ils vont être furieux ?

– Sans doute. Aussi, suivez mes recommandations : vous expliquerez respectueusement au Grand Roi et à la Grande Reine que vous venez chercher votre très chère amie, pour la ramener dans sa famille si aimante. Les Sidhes accordent beaucoup d'importance à l'amitié et à la famille.

– D'accord, enregistre le garçon. L'amitié et la famille...

– Soyez avant tout simples, directs et francs en toutes circonstances.

– Simples, directs, francs, répète Tom.

– Et polis, c'est le plus important. Montrez-vous très, très polis.

– Très polis, d'accord, enregistre Léa.

– Encore une chose : dans le monde des Sidhes, les anciennes légendes sont toujours vivantes. Vous verrez peut-être flotter ici et là des apparitions bizarres. N'ayez pas peur : ce ne sont que les souvenirs d'histoires du temps jadis. Allez, maintenant ! Sauvez votre amie avant qu'il ne soit trop tard. Bonne chance !

– Merci, Willy, dit Léa.

– À tout à l'heure ! lance Tom.

– Je vous attendrai, promet le farfadet.

Les enfants s'accroupissent et s'introduisent dans le buisson.

Les épines s'accrochent à leurs vêtements, leur écorchent les mains et se prennent dans leurs cheveux. Enfin, ils débouchent dans une clairière.

– Mary disait vrai, chuchote Léa. C'est l'été, ici !

Plus de bruine, plus de vent. Un chaud soleil fait briller les feuilles vert émeraude. Au milieu de la clairière se dresse un monticule herbeux au pied duquel est ménagée une petite ouverture en arc de cercle, bordée de pierres.

– La voilà, la colline creuse, souffle Tom, la demeure secrète des Sidhes.

– Et voici sans doute un personnage de conte, ajoute Léa en désignant une silhouette qui voltige au-dessus du tertre.

C'est une femme couronnée de fleurs. Elle tient à la main une branche où pendent des pommes d'argent. Elle se dissout peu à peu dans une brume dorée.

Alors apparaît un petit bateau voguant dans les airs, ses voiles blanches gonflées par le vent. Lui aussi s'efface bientôt. Puis c'est une vieille qui file à son rouet, un long dragon au corps de serpent, un chevalier brandissant une épée...

L'une après l'autre, les apparitions s'évanouissent tels des lambeaux de fumée.

– C'est beau, s'émerveille Tom.

Léa lève un doigt :

– Chut ! Écoute !

Un air entraînant résonne au cœur du monticule.

– Allons jeter un œil, décide la fillette.

Les enfants s'agenouillent prudemment devant l'ouverture et regardent à l'intérieur.

Une lumière vert pâle éclaire une vaste salle creusée sous la colline. Des danseurs miniatures évoluent au son de violons encore plus minuscules. Les bras le long du corps, ils lèvent la jambe et sautillent en cadence.

Assis sur deux trônes dorés, un couple assiste au spectacle. Les deux petits êtres portent de riches manteaux et des couronnes d'or.

Léa chuchote :

– Ce sont sûrement le Grand Roi et la Grande Reine.

Tom et Léa aperçoivent alors, près du trône de la reine, une troisième personne, pas plus haute que les autres, mais enveloppée dans une cape rouge.

– Augusta ! souffle Léa. Elle est là !

9

Blaireaux ou belettes ?

– Augusta ! lâche Tom. Mais… elle est toute riquiqui !

– Oui. Ils ont dû la rétrécir.

Le garçon s'écarte de la porte à quatre pattes :

– Cachons-nous vite ! S'ils nous voient, ils nous rétréciront aussi !

Tirant sa sœur par le bras, il s'adosse au monticule.

– Comment va-t-on sauver Augusta si l'on ne se montre pas ? objecte Léa.

– Je ne sais pas.

– Hé, reprend la fillette, souviens-toi ! Dans son histoire, quand Mary a parlé de la cachette sous la colline, elle a dit : « Si la jeune fille avait osé y pénétrer, elle serait devenue toute petite et aurait découvert mille merveilles ! »

– Tu as raison. Si l'on entre, on sera miniaturisés nous aussi.

– Exact. On n'a qu'à rester à l'extérieur. On va juste passer la tête dans l'ouverture et appeler. On expliquera au roi et à la reine qu'on vient chercher notre amie pour la ramener dans sa famille. On sera simples, directs et très polis, comme Willy l'a recommandé.

– Attends ! Comment Augusta retrouvera-t-elle une vie normale si elle ne mesure plus que quelques centimètres ?

– On s'inquiétera de ça plus tard. D'abord, il faut qu'elle s'échappe.

– Bon. Essayons !

Les enfants s'agenouillent de nouveau devant l'arc de pierre. La minuscule Augusta regarde évoluer les danseurs, dans l'étrange lumière vert pâle.

– S'il vous plaît ! lance Léa.

Les violons se taisent, les danseurs s'immobilisent. Tous les yeux se tournent vers Tom et Léa. Le Grand Roi et la Grande Reine paraissent abasourdis.

– Qui êtes-vous ? Comment êtes-vous venus jusqu'ici ? tonne le roi.

– Nous sommes désolés de vous déranger, commence la fillette. Mais nous venons chercher notre très chère amie Augusta. Nous devons la ramener dans sa très aimante famille.

– Oui, s'il vous plaît ! Nous vous remercions, ajoute Tom de son ton le plus poli.

Avant que les souverains aient le temps de réagir, Augusta court se planter devant la porte.

– Non, crie-t-elle d'une petite voix haut perchée. Je ne veux pas retourner chez moi ! Je veux rester parmi les Sidhes !

Tom n'en croit pas ses oreilles :

– Alors, ça ! Elle doit être sous l'effet d'un sortilège !

Le Grand Roi ordonne :

– Allez-vous-en ! Vous n'êtes pas invités. Vous n'avez rien à faire ici.

Léa répond, toujours très poliment :

– Certainement, Majesté. Nous allons partir. Mais Augusta va venir avec nous. Merci beaucoup.

Augusta tape du pied :

– Non, non et non ! Je ne m'en irai pas d'ici, c'est hors de question ! Mary a raison. À la maison, je ne suis bonne à rien. Je suis malheureuse.

Tom est stupéfait : Augusta n'est pas ensorcelée. Elle veut vraiment rester chez les Sidhes !

Le roi paraît irrité :

– Ça suffit ! Nous gardons la fille. Partez immédiatement.

– Pas question ! s'exclame Tom. Pas sans Augusta !

Une rumeur mécontente monte de la foule des danseurs.

Le roi rugit :

– Quoi ?

– Je… oh, désolé…, bafouille le garçon. Je voulais dire…

Le souverain l'interrompt d'un ton menaçant :

– Je vais immédiatement vous faire payer votre insolence !

Avant que les enfants aient eu le temps de fuir, le roi tend le bras. Des étincelles jaillissent au bout de ses doigts. Tom et Léa sont paralysés !

Le roi interroge l'assistance :

– Blaireaux ou belettes ?

– Ni l'un ni l'autre, s'il vous plaît ! supplie Tom.

Encore une chance qu'il puisse parler !

Mais, déjà,
la foule des Sidhes
scande à pleine voix :

– Belettes ! Belettes ! Belettes !

Cette fois, le roi lève les deux bras, et le désespoir envahit Tom : il ne veut pas vivre jusqu'à la fin de ses jours sous la forme d'une belette !

– Attendez ! Pardonnez mon insolence, je vous en prie ! Avant d'être transformé, je voudrais juste parler une dernière fois à Augusta ! S'il vous plaît !

Le minuscule roi observe le jeune humain pendant une interminable minute.

Enfin, il baisse les bras, et un lourd silence tombe sur l'assistance.

Tom remercie le roi puis il s'adresse à Augusta :

– Je vous en prie, écoutez-moi ! Vous devez retourner chez vous. Vous êtes douée pour des tas de choses. Mary dit que votre esprit est vif et que votre cœur est bon. Ce sont de belles qualités. Mais elle pense que vous n'êtes pas heureuse.

Augusta secoue la tête. De grosses larmes roulent sur ses joues.

Le garçon poursuit :

– Vous nous avez confié que vous vous sentiez bien dans la nature, et avec les gens simples comme votre nourrice. Vous aimez les histoires. Vous connaissez par cœur celles que Mary vous a racontées.

– Il a raison, Augusta, renchérit Léa. Vous êtes douée ! Et vous devez faire profiter le monde entier de votre talent !

La fille à la cape rouge réfléchit un long moment. Puis elle soupire :

– Non. Je reste ici.

Le roi clame :

– Bien. Vous avez dit ce que vous aviez à dire. Préparez-vous à devenir belettes !

Il lève de nouveau les bras.

« Oh non ! », s'affole Tom.

– Un instant, Finvara, intervient la reine.

La souveraine quitte son trône et s'approche d'Augusta. Sa robe argentée incrustée de diamants étincelle à chaque pas. Des perles aussi brillantes que des étoiles sont piquées dans ses longs cheveux blonds. Sa voix claire sonne comme une cloche de cristal :

– Je suis Finnen, reine des Sidhes. Ce garçon prétend que tu aimes les histoires, que tu gardes dans ta mémoire toutes celles que tu as entendues. Est-ce vrai ?

Augusta fait signe que oui.

– Alors, écoute la nôtre !

Tous les visages se tournent vers la reine, qui commence à raconter d'une voix douce :

– Lorsque nous naquîmes, à l'aube des temps, notre peuple se nommait le Tuatha Dé Danann. Nobles, forts et intrépides, nous lançâmes nos armées à travers les forêts sauvages de l'Irlande. Et, pendant des siècles, nous régnâmes sur ce monde.

« Puis les humains apparurent. Ils abattirent les arbres afin de construire des villages et de cultiver les champs. Nos tribus se cachèrent au creux des collines, dans des châteaux en ruine, et même au fond de la mer. Au fil des siècles, nous devînmes de plus en plus petits, pour nous dissimuler plus facilement aux yeux des humains. On nous appela les Sidhes, désignés aussi comme le Petit Peuple des Fées. En vérité, nous étions une des tribus de l'immense Tuatha Dé Danann, et nous vivions dans des lieux enchantés comme celui-ci, protégés par ce qui restait de notre magie. Comprends-tu ?

– Je comprends, souffle Augusta.

– On conta nos histoires siècle après siècle dans la vieille langue irlandaise. Mais, lorsqu'elle fut remplacée par l'anglais, ces récits tombèrent peu à peu dans l'oubli.

« À présent, retourne chez toi avec tes amis, enfant des hommes. Pars, car tu dois nous sauver. Cherche les vieux conteurs, demande-leur de te transmettre les légendes de notre peuple. Apprends l'ancien langage. Lis les anciens manuscrits. Écris nos histoires avant qu'elles ne soient toutes perdues. Partage-les avec le peuple irlandais et diffuse-les dans le monde entier. Feras-tu cela pour nous ?

– Oh oui ! promet Augusta, le visage illuminé. Oui, je le ferai !

– C'est bien. En ce cas, je te renvoie chez toi.

La reine appelle alors d'un geste l'un des danseurs. Il s'approche, tenant dans ses mains une minuscule coupe d'argent qu'il lui remet.

Elle tend le récipient à Augusta :

– Bois le nectar des Sidhes.

Augusta avale une gorgée.

L'instant d'après, la colline des Sidhes, le chaud soleil, tout a disparu. Tom sent une bruine froide lui mouiller le visage. Sa sœur et lui sont de nouveau au bord de la rivière. Près d'eux se tient la fille en cape rouge, qui a retrouvé sa taille normale.

Un petit problème

– Ma foi, voilà qui est simple et direct, commente Léa.

– Oui…, acquiesce Tom, un peu étourdi.

Augusta, les yeux encore écarquillés de surprise, n'arrête pas de répéter :

– Je les ai vus ! J'ai vu les Sidhes ! Je les ai vraiment vus !

Soudain, elle éclate de rire. C'est un rire si joyeux que Tom et Léa rient avec elle.

– J'ai vu les Sidhes ! reprend Augusta. Et, maintenant, des tâches importantes m'attendent.

– Ça, oui ! approuve Léa.

– Je dois apprendre l'ancien langage. Et récolter des histoires, comme me l'a demandé la reine Finnen. J'ai hâte de rendre visite aux vieux conteurs ! Il y a Mary Sheridan, et aussi Biddy Early. Je vais commencer par Mary. Retournons chez elle ! Dépêchons-nous ! Vous venez avec moi, hein ?

– Bien sûr, la rassure Léa. Mais, avant…

Elle se tourne vers son frère :

– Et Willy ?

– Qui est Willy ? s'étonne Augusta.

– Un ami à nous, explique Tom en regardant autour de lui. Il a dit qu'il serait là à notre retour. Où peut-il être ?

– Willy ! lance sa sœur à pleine voix. Willy !

Personne ne répond. Tom soupire :

– Il est peut-être resté sur l'autre rive.

– Dommage…

Augusta tire Léa par le bras :

– Allez ! On va chez Mary.

Tom est un peu triste de ne pas revoir le farfadet. En même temps, il se sent soulagé. Il n'aurait pas pu tenir sa promesse : apprendre à Willy à jouer de la flûte. Alors, il suit les deux filles à travers la prairie mouillée. Ils franchissent le muret de pierres, suivent le sentier, traversent le champ boueux vers la chaumière.

– Mary ! Mary !

Augusta s'élance en courant, laissant ses compagnons derrière elle. Sans même se donner la peine de frapper, elle pousse la porte.

– Oh ! lâche-t-elle en se figeant sur place.

Quand Tom et Léa la rejoignent, ils découvrent Mary, assise devant la cheminée. Elle a un drôle de visiteur : un petit bonhomme en veste verte, coiffé d'un tricorne orné d'une plume blanche.

– Willy ! s'écrie Léa.

– Vous êtes ici ! s'étonne le garçon.

– Évidemment ! répond le farfadet. Je vous avais dit que je vous attendrais. Je vois que vous avez retrouvé votre chère amie et l'avez ramenée à la maison. Beau travail !

Augusta reste figée sur le seuil. Enfin, elle demande :

– Mais… Qui êtes-vous ?

– Mon nom est Willy. D'habitude, je m'en allais avant que vous arriviez chez Mary. Mais, à présent que vous avez vu les Sidhes, je n'ai plus de raison de me cacher.

– Est-ce que vous êtes... réel ? balbutie Augusta.

– Qui sait ? s'amuse le farfadet. Peut-être est-ce vous qui ne l'êtes pas.

Tout le monde rit.

– Eh bien, dit Tom, je crois que nous pouvons rentrer chez nous.

Il a hâte de partir avant que Willy ne réclame sa leçon de flûte. Il prend la main de sa sœur pour l'entraîner dehors :

– Merci de votre aide, Willy.

– Oui, ajoute Léa, grand merci ! Et merci à vous, Mary ! Au revoir, Augusta ! Au revoir, tout le monde !

– Un instant, mes amis, les arrête le bonhomme.

« Aïe, aïe, aïe... », pense Tom.

– Avez-vous oublié notre marché ? Les doigts me démangent à l'idée de jouer bientôt une merveilleuse musique pour Mary.

– C'est que..., commence Tom en se balançant d'un pied sur l'autre, il y a un petit problème.

Le farfadet fronce les sourcils :

– Un problème ? Quel problème ? Vous avez retrouvé votre amie, vous devez apprendre à Willy à jouer de la flûte. C'est aussi simple que ça.

– C'est juste, reconnaît le garçon. Mais... la flûte...

Voyant son embarras, Léa intervient :

– Willy, je vais être franche et directe.

– Oui ?

– L'enchanteur Merlin nous a donné cet instrument pour nous aider dans notre mission. C'est une flûte magique, et sa magie ne fonctionne qu'une fois. Sans

magie, je ne sais pas en jouer. Je ne peux donc pas vous apprendre. Voilà.

– Ah ! fait Willy.

Il fixe le sol en dansant d'un pied sur l'autre. Puis il déclare :

– En ce cas, je n'ai plus qu'à vous changer en écureuils.

– Quoi ? lâche Tom.

Willy éclate de rire :

– Je plaisante ! Vous êtes des amis de Merlin ? Pourquoi ne pas me l'avoir dit tout de suite ?

– Vous connaissez Merlin ?

– Mais oui ! Nous avons passé beaucoup de temps ensemble, il y a environ huit cents ans. Comment va-t-il ?

– Il est en pleine forme, lui assure Léa.

– Tant mieux.

Se tournant vers Mary, le farfadet raconte :

– J'ai rencontré ce maître magicien sur une île, en mer d'Irlande. Il…

– Un instant, Willy ! l'interrompt Augusta. Mary, as-tu une plume et du papier s'il te plaît ?

Mary secoue la tête :

– J'ai bien peur que non, chérie.

– Attendez ! intervient Tom.

Il sort son carnet de sa poche, en déchire quelques pages. Il les tend à Augusta avec son crayon :

– Tenez !

– Oh merci, Tom !

Willy reprend :

– Donc, Merlin avait deux ou trois cents ans, à l'époque, et moi, je n'étais qu'un gamin…

À mesure que Willy narre son histoire, Augusta la met par écrit.

Tom range son carnet dans sa poche et échange un regard entendu avec Léa. Tous deux se dirigent vers la porte.

– Au revoir, tout le monde ! lance la petite fille.

– Bon voyage ! leur souhaite Willy.

– Merci pour tout ! dit Augusta.

Et Mary leur adresse son bon sourire :

– Au revoir, les enfants !

Dehors, il pleut toujours et le vent souffle fort.

– Eh bien, je crois qu'on a inspiré Augusta, se réjouit Léa.

– Oui, on a accompli notre mission. Rentrons vite, à présent.

Le garçon a hâte de retrouver des vêtements secs, sa maison chaude et confortable.

Baissant la tête face au vent, le frère et la sœur enjambent le muret de pierres et redescendent le chemin. Ils traversent le champ en dérapant dans la boue. Le temps qu'ils arrivent devant l'échelle de corde, ils sont de nouveau trempés.

Une fois dans la cabane, Léa s'empare du livre sur le bois de Belleville. Une rafale envoie des gouttes d'eau par la fenêtre. La petite fille pose le doigt sur l'image et récite :

– Nous souhaitons rentrer chez nous !

Le vent souffle encore plus fort.

La cabane commence à tourner.

Elle tourne plus vite, de plus en plus vite.

Puis tout s'arrête, tout se tait.

11

Lady Gregory

– Ah ! Du soleil ! soupire Tom avec bonheur.

Les yeux fermés, il goûte la tiédeur d'un rayon qui se glisse dans la cabane.

– Et des habits propres ! renchérit Léa.

Son frère range la flûte magique dans un coin avant de se diriger vers la trappe :

– Rentrons vite à la maison ! Je vais consulter Internet, il y a sûrement des renseignements sur Augusta.

– Excellente idée, approuve Léa en le suivant sur l'échelle de corde.

Les enfants reprennent le sentier du bois, courent sur le trottoir luisant jusqu'à leur jardin. Ils pataugent dans les dernières flaques de neige qui parsèment la pelouse et poussent enfin la porte de leur maison.

– On est de retour ! lance Tom.

La voix de leur mère leur parvient depuis la cuisine :

– Vous avez fait une bonne promenade ?

– Excellente ! répond Léa.

– Alors, terminez vite vos devoirs. Après, votre père vous emmènera au cinéma.

– D'accord !

Les enfants accrochent leurs blousons au portemanteau, puis ils se précipitent sur l'ordinateur du salon.

– Qu'est-ce qu'on tape ? demande Léa.

Tom tire une chaise pour s'asseoir à côté de sa sœur :

– On ne connaît même pas son nom de famille. Essaie : *Galway... Augusta... Contes d'Irlande...*

Plusieurs sites sont proposés. Léa clique sur le premier.

Sur l'écran apparaît le portrait en noir et blanc d'une vieille dame.

L'article s'intitule :

ISABELLA AUGUSTA GREGORY.

– C'est elle ! s'exclament en chœur le frère et la sœur.

Bien que la dame de la photo ait des cheveux blancs, ils l'ont aussitôt reconnue.

Tom lit le texte à haute voix :

*Isabella Augusta Gregory, dite Lady Gregory, est née à Galway, en Irlande, en 1852. Elle a écrit plus de quarante pièces de théâtre et de nombreux poèmes. Elle a été la cofondatrice de l'*Abbey Theatre, *le théâtre national irlandais. Lady Gregory a appris l'irlandais ancien et a publié plusieurs recueils de contes et légendes s'inspirant de la mythologie celtique.*

– Augusta a dû aimer notre spectacle improvisée, commente Léa, puisqu'elle a créé son propre théâtre et écrit des tas de pièces !

– Oui. Elle a su utiliser son talent.

En disant cela, Tom se rappelle la phrase d'Augusta : « Chaque jour, vous devez vous demander : à quoi suis-je utile ? »

Il murmure :

– Et moi, qu'est-ce que je sais faire ? Dans cette ferme irlandaise, je n'aurais été bon à rien !

– Moi non plus ! Mais il n'y a pas beaucoup d'enfants d'aujourd'hui qui soient capables de ramoner les cheminées, plumer les volailles ou tondre les moutons !

– Et si toutes nos machines et tous nos ordinateurs tombaient en panne ? imagine Tom.

– On devrait apprendre à coudre à la main, à traire les vaches, à tisser la laine…

– Avec un bon mode d'emploi, suppose Tom, j'y arriverais.

– Moi, j'essaierais d'abord, je lirais le mode d'emploi après !

Ils se mettent à rire. Puis Léa reprend :

– Il y a tout de même des tas de choses qu'on sait faire. S'aider l'un l'autre, par exemple.

– Tu as raison.

– On a aussi aidé Augusta, Mozart, Louis Armstrong. Et Shakespeare, et Léonard de Vinci. On a tiré un sourire à Mona Lisa, tu te souviens ?

Tom approuve de la tête. Léa continue :

– On a secouru un bébé pingouin et une énorme pieuvre. On a protégé Tokyo de l'incendie, Venise d'une inondation et New York du blizzard. On a tiré un petit gorille des griffes d'un léopard, deux enfants des vagues d'un tsunami, un bébé kangourou et un koala d'une forêt en feu.

On a défendu un jeune Indien contre un bison furieux. On a…

– Arrête ! s'écrie Tom. Stop !

– Je n'ai pas cité la moitié de ce qu'on a accompli !

– C'est vrai. Mais tu m'as donné une idée pour mon devoir d'école. J'ai plus d'expérience que je ne le pensais.

– Super, se réjouit Léa.

Et, pendant que sa sœur cherche d'autres renseignements sur Lady Gregory, le garçon prend un stylo et sort son carnet. Il s'assied sur le canapé, sous la lampe. Et il commence à écrire.

Fin

Si tu as envie de nous donner
tes **impressions** sur la série
ou de nous parler de **tes propres voyages**
réels ou imaginaires,
n'hésite pas à nous écrire !

N'oublie pas d'écrire
ton nom et ton adresse sur la lettre !